Ana Maria
Machado

Quem me dera

ilustrações

Mariângela Haddad

editora ática

Era uma vez Vera.

Você quer saber como é que ela era?

Nada de mais, nem de menos. Uma menina assim como tantas que vemos. Bem moreninha, cabelo encaracolado, sorriso simpático, olhar sempre animado.

Morava com os pais numa casa bem pequenina, perto de uma porção de outras parecidas, no alto de uma colina. De manhã bem cedo, começava o movimento. O pai e a mãe faziam um monte de coisas, correndo sem parar um momento. Iam cedo para o trabalho, tinham pouco tempo. E Vera queria brincar.

— Mãe, vem brincar comigo…

— Ai, Vera, quem me dera… Mas você não está vendo que eu estou ocupada? Ainda tenho que botar esta roupa de molho e ver umas coisas no fogão… Ah, minha querida, hoje não vai dar não.

Vera não desanimava. Ia em frente, tentar uma companhia diferente.

— Pai, vem brincar comigo…

— Ai, Vera, quem me dera… Mas hoje não é domingo. Não dá pra ficar à toa, fazendo só coisa boa. E prometi a sua mãe que ainda consertava isto aqui antes de ir para a oficina. Vai ter que ficar para outro dia, menina.

E daí a pouco saíam todos. Vera ficava em casa de uma vizinha, onde tinha
até um quintalzinho. Mas sabia que
nem adiantava pedir, ela estava sempre
ocupada:

— Dona Maria, vem brincar comigo?

— Ai, Vera, quem me dera... Mas tenho
mais o que fazer. Você pensa que a vida
é só brincadeira, é?

Pensar, ela bem que pensava. Mas não
adiantava.

Vera seguia em frente, atrás de companhia diferente. Um dia foi até o cerca-
dinho que ficava no fundo do quintal
e pediu:

— Dona Galinha, vem brincar comigo?

— Ai, Vera, quem me dera... Mas estou muito ocupada. Tenho que ensinar
meus pintinhos a catar minhoca e depois
preciso me concentrar e ficar bem cal-
ma, para botar um ovo no capricho...

Vera não desistiu. Pediu ao cachorro que andava dormindo na soleira da porta e acabava de acordar, se espreguiçando:

— Rex, vem brincar comigo?

— Ai, Vera, quem me dera... Mas justamente agora está na hora de eu sair por aí, cheirando toda a vizinhança, vigiando alguma novidade, descobrindo se tem algum perigo, se houve alguma mudança... E vendo se descolo umas coisinhas pra comer aqui e ali, é claro... Não vai dar, menina, fica para outro dia.

Logo que ele saiu, apareceu um gato em cima do muro e Vera pediu:

— Mimoso, vem brincar comigo?

— Ai, Vera, quem me dera… Mas se eu não for para o bar do seu Tonho agora, dar uma caçada geral e ver se não entrou nenhum ratinho de noite, ele não me dá aquele prato de leite de sempre… Talvez até um resto de peixe, quem sabe?, acho que o prato do dia hoje é moqueca.

Ainda bem que logo que ele saiu, Vera ouviu passarinhos cantando no galho da árvore.

— Pardal, vem brincar comigo?

— Ai, Vera, quem me dera… Mas hoje não vai dar. Você conhece a minha pardoca? A gente vai se casar, sabe? Temos que fazer o ninho, dá muito trabalho. Escolher um lugar, arrumar fiapo, palha, pena macia…

E saiu voando.

Vera seguiu o vôo dele com os olhos, e viu que os girassóis no fundo do quintal, enormes e amarelos, estavam cheios de insetos zumbindo e voando em volta. Foi até lá e convidou:

— Abelha, vem brincar comigo?

— Ai, Vera, quem me dera... Mas se a gente parar, quem é que faz mel, quem é que faz cera? Quem é que vai carregar pólen de uma flor para outra e ajudar as plantas, para elas poderem ter frutas? Você não gosta de laranjada? De bolo de mel? Então, não dá para brincar... Alguém tem que ficar sempre fazendo isso, fazzendo, fazzendo, -zzzendo-zzzendo-zzzendo, zzzendo...

Na folha, tinha um bichinho diferente. Vera pediu:

— Lagarta listada, vem brincar comigo?

— Ai, Vera, quem me dera… Mas ainda tenho umas três folhas enormes para comer. E se eu parar com a comilança, nunca vou virar borboleta, posso perder a esperança…

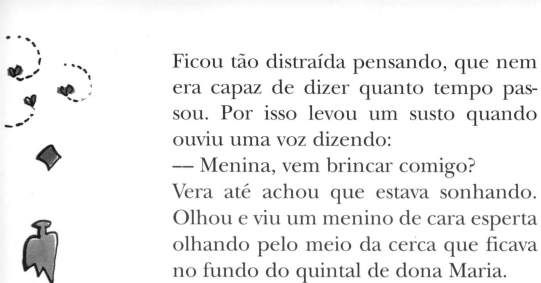

Ficou tão distraída pensando, que nem era capaz de dizer quanto tempo passou. Por isso levou um susto quando ouviu uma voz dizendo:

— Menina, vem brincar comigo?

Vera até achou que estava sonhando. Olhou e viu um menino de cara esperta olhando pelo meio da cerca que ficava no fundo do quintal de dona Maria.

— Quem é você? O que é que você está fazendo aí? Não pode brincar nesse terreno, está cheio de mato. Pode ter cobra, lixo, caco de vidro… — foi logo explicando ela, repetindo o que sempre lhe tinham dito.

O menino riu e respondeu:

— Não, isso era antes. Agora a gente se mudou para cá.

— Para o terreno baldio?

— Não. Para a casinha que meus pais estão fazendo no terreno que não é mais baldio. Já dá para ir morando enquanto o resto não fica pronto. E eu me chamo Zé.

Vera adorou ter um amigo por perto.
Foi também se apresentando:
— Meu nome é Vera. Que bom que
você quer brincar comigo...
Bem nessa hora, a mãe dele chamou lá
de dentro:
— Zé! Vamos embora! Está na hora!
Ele saiu correndo, foi lá falar com a
mãe e dali a pouco voltou.

— Vamos brincar? — chamou ela.

— Agora não posso. Só quando eu voltar do colégio… Aí a gente brinca. Você não vai à aula?

— Não, o colégio é meio longe para eu ir sozinha e não tenho quem me leve. De verdade, eu moro naquela casa ali em frente. Meus pais trabalham fora e eu fico com a dona Maria, aqui. Mas ela é muito ocupada…

Olhou para ele e suspirou:

— Será que eu não podia ir com você?

— Ai, Vera, quem me dera… — disse ele. — Ia ser bom demais. Vou falar com a minha mãe.

E foi isso mesmo que aconteceu. Zé falou com a mãe dele, que falou com a vizinha, que falou com os pais de Vera, que falaram no colégio. E foi assim que, ufa!, depois de tanta falação, tudo acabou bem.

Vera agora tem um monte de amigos e amigas que adoram brincar. Estudam juntos, aprendem uma porção de coisas boas e ficam cada vez mais espertos. E brincam muito no pátio — no recreio, antes da aula e na hora da saída. De pique, de casinha, de bandeira, de bola, de queimada, de tudo que quiserem inventar.

De manhã, ela ainda brinca com Zé no quintal.

E como aprendeu a ler, às vezes tem horas que só quer ficar bem quieta e sossegada, lendo. Por isso, às vezes o Zé chama para brincar e ela diz:

— Ai, Zé, não dá pé… Quero ler esse livro. É tão legal!

— Então vamos ler em voz alta. Eu conto uma história para você, depois você lê uma pra mim.
E é tudo uma brincadeira só. Muito divertida.